Disney

Winnie ile okumaya başlıyorum!

Zıpla Tiger, Zıpla!

Uyarlayan Isabel Gaines

ÇİZİMLER Francesc Rigol

Winnie ile okumaya başlıyorum!

Dizideki kitaplar:

Zıpla Tiger, Zıpla!

Winnie ile Okumaya Başlıyorum - Zıpla Tiger, Zıpla!
Özgün adı: *Bounce, Tigger, Bounce*
Uyarlayan: Isabel Gaines
Çizimler: Francesc Rigol

© 1998 Disney Enterprises, Inc.
Tüm hakları saklıdır.
Türkiye Yayın Hakları:
Doğan Egmont Yayıncılık ve Yapımcılık Tic. A.Ş.
Tel: (+90 212) 246 46 46
www.doganegmont.com.tr
İstanbul, 2007
Çeviren: Deniz K. Pala
Basıldığı Yer: Acar Basım ve Cilt San. Tic. A.Ş.
Adres: Beysan Sanayi Sitesi Birlik Cad. No: 26 Acar Binası
Haramidere 34524 Avcılar-İstanbul
ISBN: 978-975-991-165-2

Ru, Tiger'in gelmesini bekliyordu.

Tam umudunu yitirmeye başlamışken

Tiger zıplayarak çıkageldi.
O kadar hızlı zıplıyordu ki,
çatıdan koca bir kar parçası
PLOP diye Ru'nun başına
düşüverdi!

Tiger, Ru'ya "Merhaba minik
dostum," dedi. "Zıplamaya hazır
mısın?"

"Evet! Evet!" diye bağırdı Ru.
Zıplaya zıplaya yola
koyuldular.

Tiger'in zıplayışları kocamandı:

BOYNK! BOYNK! BOYNK!

Ru'nunkiler ise minik minikti:

BOYNK! BOYNK! BOYNK!

Tiger ve Ru zıplayarak ormanın derinliklerine doğru ilerlediler. Sonra uzun bir ağacın yanında durdular. Ru başını kaldırıp yükseklere uzanan dallara baktı ve

"Tigerler ağaca tırmanabilir mi?" diye sordu.

"Ağaca tırmanmak Tigerlerin en iyi yaptığı şeydir!" diye cevapladı Tiger. "Sadece tırmanmakla kalmazlar, zıplaya zıplaya tırmanırlar. Bak, sana göstereyim!"

Tiger eğildi, Ru da hoplayarak omzuna oturdu. Sonra zıplaya zıplaya ağaca tırmanmaya başladılar. BOYNK! BOYNK! BOYNK!

Bir çırpıda ağacın
tepesine tırmanmışlardı.
Tiger gözlerini aşağı
çevirdi ve başı dönmeye
başladı.

11

Birden Tiger, kuyruğunda
da bir gariplik olduğunu
fark etti!
Ru kuyruğuna tutunmuş, bir
ileri bir geri sallanıyordu.
"D-d-dur yapma!" diye
inledi Tiger. "Bütün orman
sallanıyor!"

12

O sırada, Winnie
ve Piglet oradan geçiyorlardı.
Tiger arkadaşlarını görünce
"İMDAT!" diye bir çığlık attı.
Winnie yukarı baktı ve
şaşkınlık içinde "Tiger? Ru? Ne
yapıyorsunuz orada?" dedi.

13

Winnie ve Piglet hemen
yardımcı olacak birilerini
bulmaya gittiler.
Kısa süre içinde, yanlarında
Kangu, Tavşan ve Christopher
Robin ile geri dönmüşlerdi.

Ru annesine "Tiger yukarıda kaldı," diye seslendi.

"Ah bu çok kötü," dedi annesi.
"Hayır, bence iyi," diye araya girdi Tavşan. "Tiger yukarıdayken ortalıkta zıplayıp kimseyi rahatsız edemez."
"Ama," dedi Christopher Robin, "ikisini de aşağıya indirmemiz gerekiyor."

15

Sonra Christopher Robin
ceketini çıkardı.
Winnie de bir ucundan
tutarak ağacın altında
durdu.

16

"Geliyoruuum!" diye bağırdı Ru.

"HEEEEEY!"

Ceketin tam üstüne düşmüştü.

Şimdi sıra Tiger'deydi.

Christopher Robin, "Haydi atla Tiger!" diye bağırdı. "Tigerler atlamazlar ki," dedi Tiger. "Onlar zıplarlar."

"O zaman ağaca tutunarak aşağı inmen gerekiyor," dedi Christopher Robin.

"Tigerler tutunarak aşağı inemezler ki," dedi Tiger. "Kuyrukları dolanır," Sonra da kuyruğunu sıkıca ağacın gövdesine doladı.

Tiger derin bir soluk
aldı ve "Eğer aşağıya
inebilirsem, bir daha
asla zıplamamaya söz
veriyorum," dedi.
Tavşan'ın kulakları dikildi
"Bu sözünü duydum!" diye
bağırdı.

Evet, Tiger'in aşağıya inmesi sonsuza
kadar sürmedi, ama biraz zaman aldı.
Tiger ne atladı ne de tutuna tutuna
aşağı indi.
Yaptığı tek şey, sıkıca doladığı
kuyruğunu açıp yavaşça aşağı kaymak
oldu.

HOP!

Yumuşacık karların üzerine düştü.
Tekrar aşağıda olduğu için o kadar
mutluydu ki, canı zıplamak istedi.
Tavşan, "Hayır, hayır! Söz vermiştin,
bir daha zıplamak yok!" diye
bağırdı.

Tiger, "Yani, artık hiç zıplayamayacak
mıyım?" diye sordu.

Tavşan, "Hayır, asla," diye cevap verdi.

Tiger, "Bir kerecik bile mi?" diye sordu.

Tavşan, "Hayır, bir kere bile olmaz,"
yanıtını verdi.

Tiger'in çenesi aşağıya sarktı.
Kuyruğu düştü. Üzüntü içinde
arkasını döndü.

Tiger'in Tavşan dışındaki bütün
arkadaşları bakakaldılar. Onlar
da bu duruma çok üzülmüşlerdi.
Tavşan ise gülümsüyordu.

Ru, önce Tavşan'a sonra Tiger'e birkaç kez baktı ve sonunda patladı:

"Ben zıplayan Tiger'i daha çok seviyorum," dedi.

Tavşan dışında diğerleri de hep bir ağızdan "Biz de öyle!" dediler.

Kangu "Ya sen Tavşan?" diye
sordu.

Tavşan, "Ee ben... Ah ben, şöyle
ben..." diye geveledi.

Belki de ilk kez ne diyeceğini
bilemiyordu.

27

Tavşan, Tiger'in onu nasıl hoplatıp zıplattığını hatırladı.

Sonra, Tiger'in artık zıplayamayacağı için ne kadar üzüldüğünü fark etti. Sonunda, "Peki tamam. Sanırım ben de zıplayan Tiger'i daha çok seviyorum," dedi.

Tiger, Tavşan'ın fikrini
değiştirmesine fırsat vermeden
hemen atladı ve "Hadi gel Tavşan,
birlikte zıplayalım!" dedi.

Tavşan, "Ben mi zıplayacağım?"
diye sordu.

Tiger, "Neden olmasın? Zıplamak
için ayakların var ya," dedi.

Tavşan, kocaman, uzun
ayaklarına baktı ve "Evet, var,"
dedi.

Herkes bir ağızdan "Evet,
var!" diye bağırdı.

Tavşan önce yavaşça zıpladı.

BOYNK!

Sonra biraz daha yükselerek zıpladı.

BOYNK!

Ve şimdi tıpkı Tiger gibi yaylanarak zıplıyordu.

Tavşan, "Hadi gelin, hep
birlikte zıplayalım!" diye
bağırdı.
Ve Yüz Dönüm Ormanı'nda
hep beraber zıplayarak
eğlendiler.